KU-189-623

PARA SAM Y KATE
Y LAS NOCHES MÁS ACOGEDORAS ~ A. H.

PARA D.A.R. Y K.G.J. (PORQUE LOS NIÑOS GRANDES
TAMBIÉN TIENEN QUE TOMAR SU MEDICINA) ~ A. J.

AMY HEST

ANITA JERAM

Título original: *Don't You Feel Well, Sam?*

Publicado con el acuerdo de Walker Books Ltd
87, Vauxhall Walk. London SE11 5HJ

Carranza, 25. 28004 Madrid
Traducción de Esther Rubio
ISBN: 978-84-19475-31-2
Depósito Legal: M-20539-2023
Impreso en Italia - *Printed in Italy*

ERA UNA NOCHE FRÍA, MUY FRÍA
EN LA CALLE DEL CIRUELO.

EN LA CASITA BLANCA, DESPUÉS DE LEER SU LIBRO FAVORITO Y DE APAGAR JUNTOS LA LUZ DE UN SOPLIDO, MAMÁ OSA LE DIO UN BESO DE BUENAS NOCHES A SAM Y LO ARROPÓ CON LA MANTA ROJA PARA QUE NO TUVIERA FRÍO.

PERO, DE REPENTE, LO OYÓ TOSER.
—¡COF, COF! —SAM TOSÍA ACURRUCADITO
EN SU CAMA, TODO PEQUEÑITO.

MAMÁ OSA LO ABRAZÓ.
—¿ESTÁS MALITO, SAM?
SAM DIJO QUE SÍ CON LA CABEZA.
—¡COF, COF!
—POBRECITO.
MAMÁ OSA LO ABRAZÓ TODAVÍA MÁS FUERTE
Y LE DIO UN BESITO EN LA MEJILLA.
—TIENES TOS —LE DIJO.

Y CORRIÓ ESCALERAS ABAJO
Y LUEGO CORRIÓ ESCALERAS
ARRIBA CON EL JARABE.

—¡ABRE BIEN LA BOCA, SAM! —LE DIJO MAMÁ OSA.
ÉL DIJO QUE NO CON LA CABEZA.
—NO ME GUSTA —PROTESTÓ.
—YA —LE DIJO SU MAMÁ—. PERO TIENES QUE SER VALIENTE.
SAM ESCONDIÓ LA CABEZA BAJO LA MANTA.

—¡YA NO TENGO TOS! —DIJO—.
¡COF, COF!

—VAMOS, SAM, SOLO UNA CUCHARADA
—LE DIJO SU MAMÁ.
ÉL SE QUITÓ LA MANTA DE LA CABEZA.
ABRIÓ LA BOCA CON VALENTÍA,
PERO LA CERRÓ AL INSTANTE.
LA CUCHARA ERA DEMASIADO GRANDE.

—ES MUY GRANDE —DIJO—.
¡COF, COF!

—PUEDES HACERLO —DIJO MAMÁ OSA—.
¡YO SÉ QUE PUEDES, SAM!
ÉL ABRIÓ MUCHO LA BOCA, PERO ENSEGUIDA
LA CERRÓ CON FUERZA.
DEMASIADO JARABE EN UNA CUCHARA TAN GRANDE.

—ES MUCHO —DIJO—.
¡COF, COF!

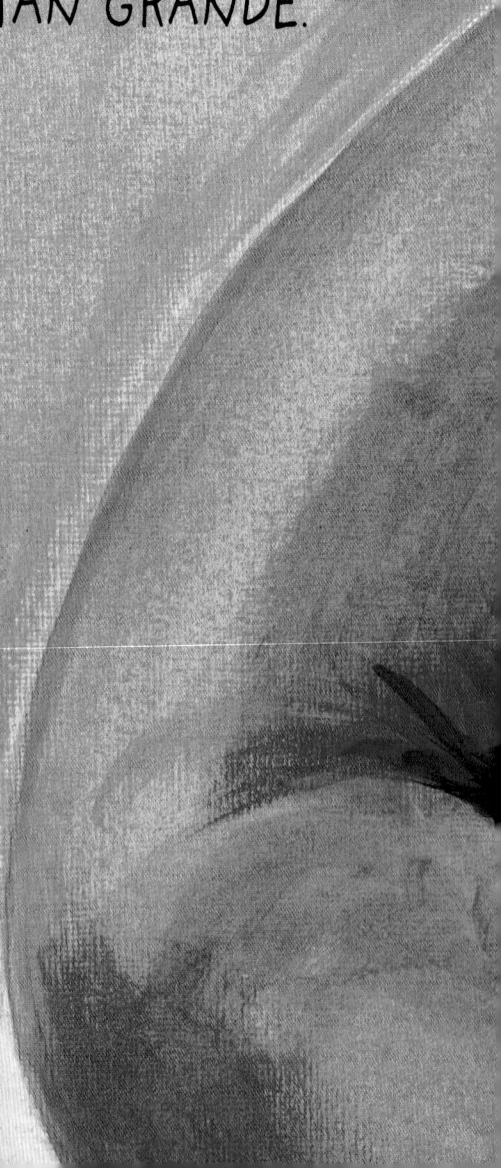

MAMÁ OSA LIMPIÓ
LA ESCARCHA
DEL CRISTAL Y MIRÓ
POR LA VENTANA.
—VA A NEVAR
—DIJO.

—SOLO UNA CUCHARADA, SAM,
Y DESPUÉS BAJAREMOS A LA COCINA
A ESPERAR LA NIEVE.

SAM ABRIÓ MUCHO LA BOCA.
MUUUCHO.
REFUNFUÑÓ Y RESOPLÓ
Y PUSO UNA CARA MUY RARA,
PERO POR FIN SE TRAGÓ EL JARABE.

—SOY UN VALIENTE
—DIJO.

MAMÁ OSA Y SAM BAJARON
LAS ESCALERAS DE LA MANO.
SAM LLEVABA PUESTAS LA BATA
AZUL Y LAS ZAPATILLAS AZULES.

ENCENDIERON LA PEQUEÑA ESTUFA
DE LA COCINA, LUEGO TOMARON
UNA INFUSIÓN CALIENTE.
MAMÁ OSA LE AÑADIÓ EL DOBLE
DE MIEL, Y EL OSITO EMPEZÓ
A SENTIRSE MEJOR.

DESPUÉS SE SENTARON EN EL GRAN SILLÓN MORADO, JUNTO A LA VENTANA, A ESPERAR LA NIEVE. MAMÁ OSA LE CONTÓ EL CUENTO DE UN OSITO QUE SE LLAMABA SAM. A SAM LE GUSTÓ TANTO QUE ELLA SE LO CONTÓ OTRA VEZ.

—¡COF, COF! —SE OÍA DE VEZ EN CUANDO.

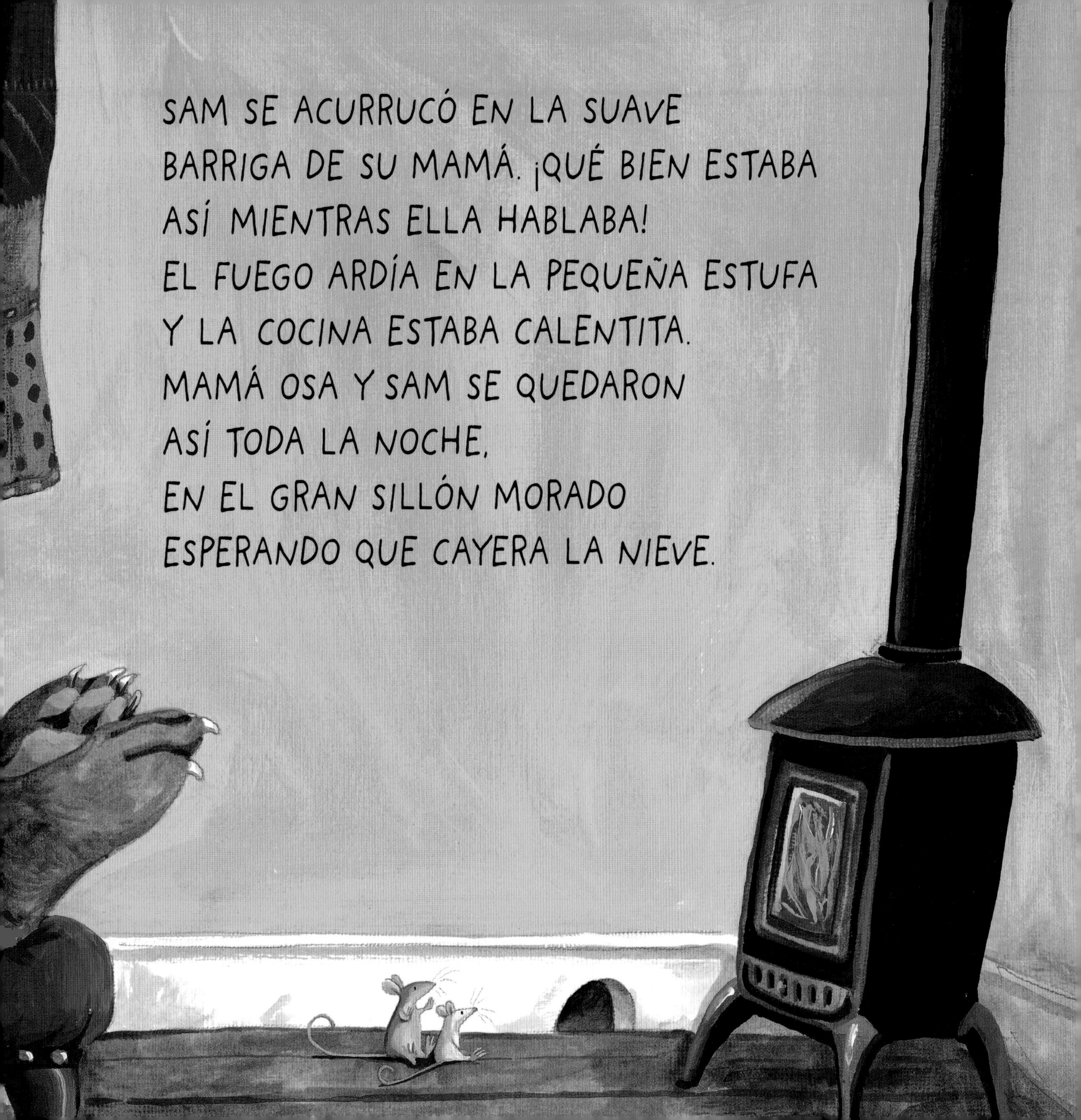

SAM SE ACURRUCÓ EN LA SUAVE
BARRIGA DE SU MAMÁ. ¡QUÉ BIEN ESTABA
ASÍ MIENTRAS ELLA HABLABA!
EL FUEGO ARDÍA EN LA PEQUEÑA ESTUFA
Y LA COCINA ESTABA CALENTITA.
MAMÁ OSA Y SAM SE QUEDARON
ASÍ TODA LA NOCHE,
EN EL GRAN SILLÓN MORADO
ESPERANDO QUE CAYERA LA NIEVE.

Y POR FIN, NEVÓ.